E JAN
Janisch, Heinz.
En casa

DATE DUE

GAYLORD		PRINTED IN U.S.A.

Versión: Cristina Rodríguez Aguilar

Título original: *Zu Haus*

© Editorial Jungbrunnen, Viena - Múnich, 2002
© De esta edición: Editorial Luis Vives, 2004
  Carretera de Madrid, km 315,700
  50012 Zaragoza
  Teléfono: 913 344 883
  www.edelvives.es

ISBN: 84-263-5266-9
Depósito legal: Z. 2283-04
Printed in Spain

Talleres gráficos Edelvives (50012 Zaragoza)
Certificados ISO 9001

Heinz Janisch | Helga Bansch

En casa

EDELVIVES

¿Si yo viviera en otra casa,
me sentiría tan bien
como me siento en casa?

Si viviera en una biblioteca,
¡disfrutaría leyendo muy muy quieta!

Si viviera en la torre del reloj,
¡vería las tormentas mucho mejor!

En una barca en el mar...
¡No!¡No!¡Me podría marear!

Y en el nido de un pajarito,
¡dormiría como un angelito!

Si un árbol fuera mi hogar,
¿me podrías encontrar?

Si me encerrara en una jaula volandera,
¡me libraría de todas las fieras!

Si me instalara en un castillo,
¡me sentiría como un enanillo!

Y dentro de un iglú de hielo,
¡no me llegaría el calor del cielo!

¿Y en una tienda de modas?
¡Me estaría probando a todas horas!

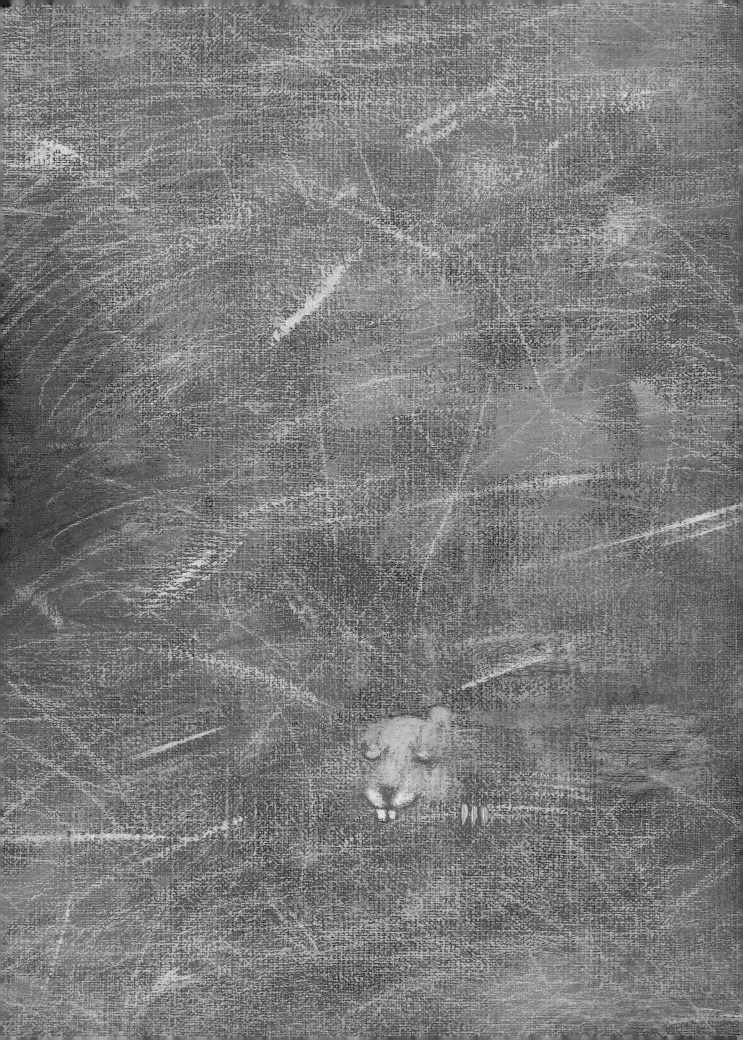

Pero en una casa contigo,
como ahora,
¡me sentiría feliz a todas horas!